D1243421

Traducido por Elena Gallo Krahe

Título original: *L'après–midi d'une fée*

Edelvives Talleres Gráficos. Certificado ISO 9001
Impreso en Zaragoza, España

ISBN: 978-84-140-0212-4
Depósito legal: Z 1733-2015

Un hada descontrolada

André Bouchard

EDELVIVES

—Mira, Hortensia. Tengo un disfraz de hada.

—Es precioso, Marga. ¡Y cómo brilla!

—Me lo han regalado por mi cumpleaños. ¿Jugamos? Hacemos que yo era el hada más superpoderosa de todas y podía transformar cualquier cosa.

—Fenomenal. ¡Ji, ji!

—¿Ves esa silla? La voy a transformar en calabaza...
¡Abracadabra!
—¡Ji, ji!

—¡Hortensia, mira la silla! ¡Se ha transformado en calabaza!

—¡Increíble!

—¡Mi varita es mágica DE VERDAD!

—¡Ji, ji!

—Oye, Marga, esa calabaza es un poco rara...
—... No tiene muy buena pinta...

—¡Ay, ay! Marga, usa la varita. ¡Deprisa!
—Calabaza maldita, por el poder de mi varita,
yo te transformo en carrocita. ¡Abracadabra!

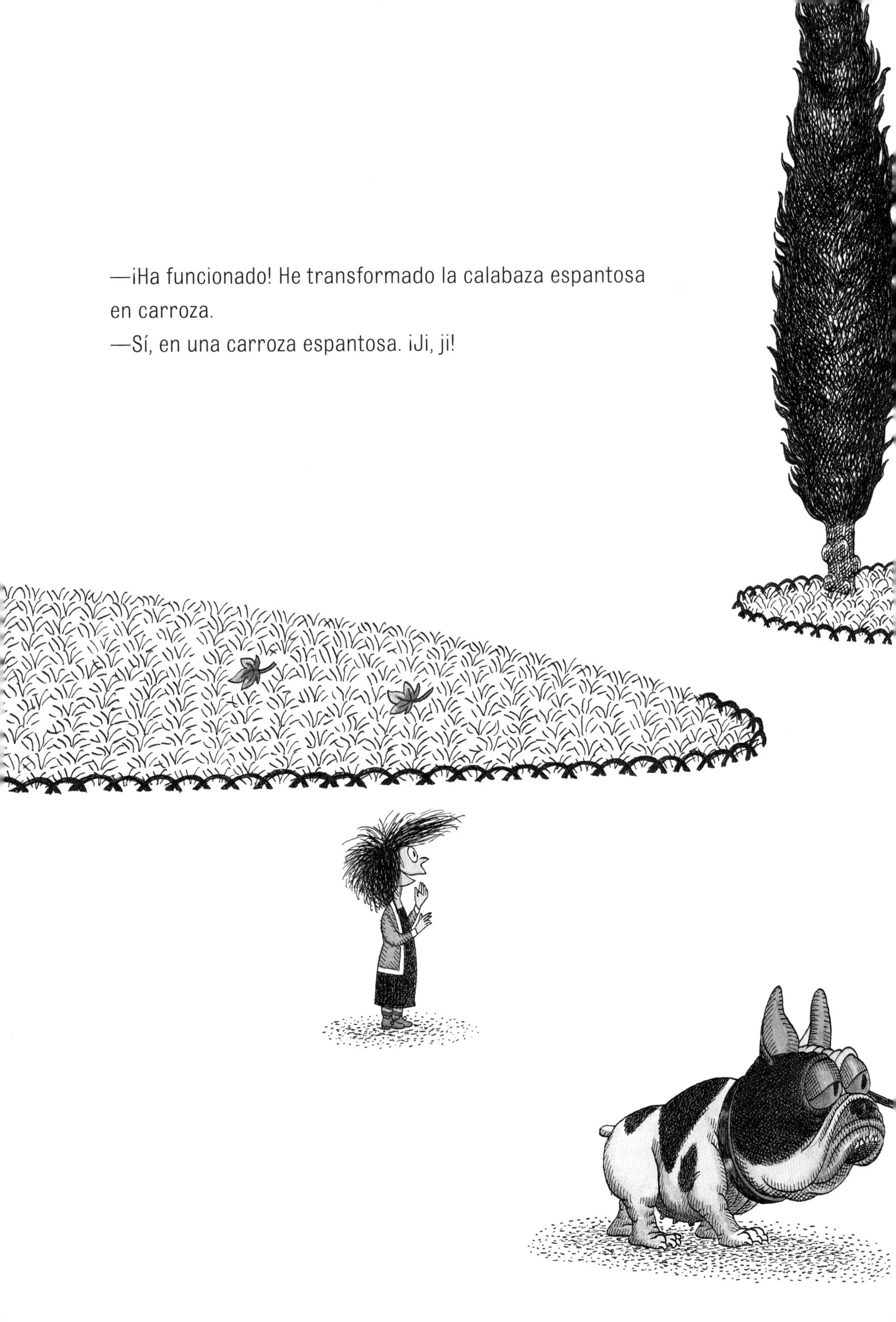

—¡Ha funcionado! He transformado la calabaza espantosa en carroza.

—Sí, en una carroza espantosa. ¡Ji, ji!

—Bueno, sí, muy bonita no es... Tendré que practicar un poco...
Ahora fíjate, Hortensia. ¿Ves esas palomas mugrientas y polvorientas?
Voy a convertirlas en elegantes caballos de tiro para la carroza.
¡Abracadabra...

... pata de cabra! Mira, Hortensia, gnomos gigantes. Desde luego no son lo que esperaba.

—¡Menuda elegancia! ¡Son geniales! ¡Ji, ji, ji!

—Está claro que la varita está estropeada.

—¡Ji, ji!

—¿Qué hacen? Se han subido a la carroza. ¡Se han vuelto locos!

—¡Ji, ji! ¡Ja, ja!

—¡Volved, os lo ordeno! ¡Aquí!

—¡Ja, ja, ja!

—¡Ja, ja! ¡Ji, ji! ¡Ja, ja!

—Deja de reírte, Hortensia. ¡Para! Recuerda que soy Marga, el hada poderosa. Que te convierto en sapo… ¡Hala, para que aprendas a reírte de mí! ¡Abracadabra!

—¡Uuuaah! ¡Ja, ja, ja, ja!

—¡Croaa!

—¡Ay, Hortensia! ¡Perdón! Estaba enfadada, enfadadísima. Lo arreglaré, ya verás. Otro toque de varita y, ¡hop!, todo volverá a ser normal. Sapo, conviértete en Hortensia. ¡Abracadabra!

—¡Croaa!

—¡Nada! ¡Qué horror! ¿Qué dirán tus padres cuando se enteren de que te has convertido en sapo? ¡Ay, ay, ay! Me van a echar la megabronca del siglo.

—¡Y todo por culpa de esta dichosa varita!

—¿Para qué quiero una varita que nunca me obedece? ¡Toma!

—¡Y toma!

—¡Ay, madre, qué he hecho! He destruido la varita
y no podré recuperarte. ¡Pobre Hortensia!

—Señora, ha ocurrido un terrible accidente. ¡Es Hortensia!
Estábamos jugando y, de repente, la he... yo...
¡la he transformado en sapo!

—¿Que Hortensia se ha convertido en sapo? Bueno, tú tranquila. ¡Ya está bien, Hortensia! Deja de asustar a tu amiga.

—¡Ji, ji! Te lo has creído. ¿A que sí, Marga?

—¿Sabes, mamá? Marga y yo lo hemos pasado pipa esta tarde, ¿verdad, Marga?